A Tartaruga e a Lebre

ERA UMA BELA MANHÃ DE SOL E TODOS OS ANIMAIS ESTAVAM FELIZES E ANIMADOS, INCLUSIVE A TARTARUGA, QUE SE APRESSAVA — O MAIS RÁPIDO QUE PODIA, É CLARO — PARA PREPARAR SUA CESTA DE FRUTAS.

— HOJE ESTÁ UM DIA PERFEITO PARA UM PIQUENIQUE NO ALTO DA COLINA! E COMO LEVO ALGUMAS HORAS PARA CHEGAR LÁ EM CIMA, NÃO QUERO ME ATRASAR — DIZIA ELA, OFEGANTE, SEM DESGRUDAR O OLHO DO RELÓGIO.

— BOM DIA, DONA TARTARUGA! — DIZIA O GRILO.
— BOM PASSEIO! — GRITAVA A DONA CORUJA.
— SE NÃO TIVESSE QUE CAVAR TANTO POR AQUI, BEM QUE A ACOMPANHARIA — DIZIA O CASTOR.

— BOM DIA, DONA DESAJEITADA! OPS, DONA TARTARUGA! — DISSE A LEBRE ZOMBANDO DELA.

TODO OS DIAS ERA A MESMA COISA: A LEBRE FAZIA PIADAS SOBRE AS PATAS CURTAS E OS PASSOS LENTOS DA TARTARUGA.

COM TODOS OS ANIMAIS DA FLORESTA OLHANDO, A TARTARUGA RESPONDEU A GOZAÇÃO.
— SOU LENTA, MAS NÃO SOU DESAJEITADA, DONA LEBRE. VOCÊ, QUE SE ACHA TÃO RÁPIDA, PODE APOSTAR O QUE QUISER, MAS SAIBA QUE SOU CAPAZ DE VENCÊ-LA EM UMA CORRIDA.

A LEBRE ACHOU GRAÇA DA TARTARUGA E, PARA SE DIVERTIR AINDA MAIS, ACEITOU IMEDIATAMENTE O DESAFIO:

— AH, É MESMO? ENTÃO, AMANHÃ CEDO, ESPERAREI VOCÊ NESTA COLINA. GANHARÁ A CORRIDA — E TAMBÉM A APOSTA — QUEM DER A VOLTA NO BOSQUE E CRUZAR PRIMEIRO A LINHA DE CHEGADA. O QUE ME DIZ?

— COMBINADO! — RESPONDEU A TARTARUGA, QUE SAIU TODA PROSA, CANTAROLANDO.

NO DIA SEGUINTE, A FLORESTA ESTAVA UM TREMENDO ALVOROÇO.

— COMO PODE UMA TARTARUGA DESAFIAR UMA LEBRE NUMA CORRIDA? — DISSE O PARDAL.

— ISSO EU QUERO VER — COMENTOU A COELHA.

— FAÇAM SUAS APOSTAS! — ANUNCIOU O RATO, APROVEITANDO PARA GANHAR UNS TROCADOS.

— POBRE TARTARUGA, NÃO TEM CHANCE ALGUMA — DISSE A CORUJA, DESANIMADA.
— NÃO SEJA TÃO PESSIMISTA, MINHA AMIGA — RECLAMOU O CASTOR.
TODOS QUERIAM ACOMPANHAR AQUELE QUE SERIA UM EVENTO INÉDITO E INESQUECÍVEL.

A RAPOSA, ESCOLHIDA PARA SER A JUÍZA DA CORRIDA, ESTABELECEU A DISTÂNCIA A SER PERCORRIDA, POSICIONOU AS PARTICIPANTES E PERGUNTOU PARA AS DUAS:

— ESTÃO PREPARADAS? ENTÃO: 3, 2, 1... JÁ!

DADA A LARGADA, A TARTARUGA ANDOU UM POUQUINHO MAIS RÁPIDO DO QUE DE COSTUME. AFINAL, QUERIA MUITO GANHAR A CORRIDA.

A LEBRE FOI PARA BAIXO DE UMA ÁRVORE.
— PODEM ME DAR ALGO PARA COMER ANTES QUE EU ALCANCE AQUELA TONTA? — DISSE, CONFIANTE, ENQUANTO COÇAVA A ORELHA.
OS AMIGOS TROUXERAM UMA TORTA DE CENOURA. DEPOIS, UM *MILK-SHAKE* DE CHOCOLATE, GELADO E SABOROSO. ELA COMEU E BEBEU TANTO QUE TEVE SONO E ADORMECEU.

A TARTARUGA AVANÇAVA LENTA PELO BOSQUE, ENTRE APLAUSOS E GRITOS DA PLATEIA:

— É ISSO AÍ! VOCÊ ESTÁ QUASE CHEGANDO!

— FORÇA! VOCÊ É A NOSSA HEROÍNA!

— TARTARUGA, CADÊ VOCÊ? EU VIM AQUI SÓ PRA TE VER! — A TORCIDA CANTAVA EM CORO EM SUA HOMENAGEM.

CADA VEZ MAIS ORGULHOSA DE SI, A TARTARUGA ESTUFAVA O PEITO E SEGUIA FIRME RUMO À LINHA DE CHEGADA. NADA PODERIA DETÊ-LA, NEM MESMO O CANSAÇO OU AS SUAS PATAS CURTAS. ELA ESTAVA DETERMINADA A VENCER A CORRIDA E PROVAR QUE, MESMO SENDO LENTA, PODERIA ALCANÇAR SEUS SONHOS.

QUANDO A TARTARUGA ESTAVA A POUCOS PASSOS DA LINHA DE CHEGADA, OS COELHOS CORRERAM PARA ACORDAR A LEBRE:
— ACORDE, ACORDE! A TARTARUGA ESTÁ QUASE VENCENDO A CORRIDA. SE NÃO SE APRESSAR, ELA VAI GANHAR E ESSE SERÁ O SEU FIM COMO A MAIOR CORREDORA DA FLORESTA.

A LEBRE ACORDOU E, MESMO SEM ENTENDER BEM O QUE ESTAVA ACONTECENDO, CORREU E SALTOU VELOZ. PARTIU COMO UMA FLECHA. SUAS PERNAS FORAM O MAIS RÁPIDO QUE PUDERAM, MAS ELA ESTAVA MUITO LONGE DA LINHA DE CHEGADA, POR CAUSA DO TEMPO PERDIDO ENQUANTO CONVERSAVA, COMIA, BEBIA E DORMIA.

PARA A SURPRESA DE TODOS — EXCETO DELA MESMA — A TARTARUGA VENCEU. CARREGADA PELOS AMIGOS, ELA OLHOU PARA A LEBRE E PERGUNTOU DE MANEIRA FIRME:

— PODE ME DIZER PARA QUE SERVIRAM SUAS PERNAS LONGAS SE SUA CABEÇA É TÃO PEQUENA? LEMBRE-SE: NEM SEMPRE VAI MAIS LONGE QUEM CORRE MAIS, E SIM QUEM SE ESFORÇA MAIS.